COLLECTION
CONNAÎTRE UNE ŒUVRE

MIXTE
Papier issu de sources responsables
Paper from responsible sources
FSC® C105338

COLETTE

La Vagabonde

Fiche de lecture

Les Éditions du Cénacle

ISBN 978-2-36788-993-1
Dépôt légal : Mai 2019

SOMMAIRE

BIOGRAPHIE

COLETTE

Sidonie-Gabrielle Colette, dite « Colette », est née le 28 janvier 1873 à Saint-Sauveur-en-Puisaye dans l'Yonne. Fille cadette d'Adèle-Eugénie-Sidonie Landay et Jules-Joseph Colette, cette petite dernière d'une famille modeste vit une enfance heureuse. Partageant le plaisir de la lecture avec celui des animaux, la jeunesse de la petite Colette favorise déjà le développement de son acuité littéraire. Sa mère l'initie aux beautés de la nature : à la sensualité des fleurs et au parfum des fruits. C'est aussi dans la bibliothèque paternelle, propice aux « livres interdits » que la jeune rêveuse aiguise son sens du verbe.

Adolescente, elle rencontre le romancier et critique musical Henri Gauthier-Villars, appelé Willy, et l'épouse en mai 1893 à Chatillon-Coligny, alors qu'elle a vingt ans. Ce dernier introduit la timide bourguignonne dans les salons littéraires et musicaux du Paris mondain. C'est également lui qui pousse la jeune femme à écrire, lorsqu'il prend conscience de son potentiel littéraire. Il l'invite notamment à évoquer et à s'inspirer de ses souvenirs d'enfance. C'est ainsi qu'apparaît la célèbre série de romans des « Claudine » que l'écrivain signe dans un premier temps de son seul nom puis sous le pseudonyme « Colette Willy », face à un lectorat qui n'est pas dupe de l'usurpation.

Mais Henri Gauthier-Villars est un grand séducteur et la jeune épouse, étriquée dans son rôle de femme trompée, tolère de moins en moins les adultères de Willy. Encouragée par son ami Georges Wague, Colette débute alors une carrière dans le music-hall en 1906. Aux années heureuses dans sa Bourgogne natale, puis à sa vie parisienne mondaine s'ensuit l'expérience de ces « années-théâtre », où la romancière se révèle en pantomime impudique. Elle s'exhibe en tenue orientale suggestive et fait scandale en s'affichant au Moulin-Rouge avec « Missy », Mathilde de Morny, l'une de ses aventures féminines, déguisée en homme. Durant cette période, Colette se consacre à ses activités scéniques et littéraires. Elle publie des ouvrages, qui traitent de ces années là, comme *La Vagabonde* qui frôle de peu le prix Goncourt, où encore *L'Envers du music-hall* et *En tournée*... Elle affûte son regard littéraire et précise davantage son style. Les lignes de forces de son écriture s'affirment.

En 1910, Colette divorce. Cette même année, elle délaisse le music-hall et rejoint le quotidien *Le Matin*, en tant que journaliste. Elle épouse deux années plus tard le politicien Henry de Jouvenel qui n'est autre que le rédacteur en chef du journal. De leur union naîtra, le 3 juillet 1913, une fille, Colette, surnommée « Bel-Gazou » (« beau gazouillis » en patois provençal). Mais l'adultère fait à nouveau obstacle dans la vie conjugale de l'auteure, tout comme la carrière politique de son mari. À quarante ans, cette dernière établit une liaison avec Bertrand de Jouvenel, le fils de son époux, alors âgé de 17 ans. Une liaison qui nourrira quelques uns de ses romans et pièces à succès comme *Chéri* ou *Le Blé en herbe*, roman qu'elle signe pour la première fois sous son nom.

Colette divorce à nouveau en 1923. Deux années plus tard elle rencontre celui qui sera son troisième mari en 1935, Maurice Goudeket. C'est cette année là qu'elle entre à l'Académie royale de Belgique.

Lorsque son dernier époux se fait arrêter en tant que juif par les Allemands en 1941, elle parvient à le faire libérer. Celui-ci a joué un rôle dans la promotion de son œuvre littéraire et l'aide à supporter l'arthrose de ses vieux jours.

En 1945, la romancière est élue à l'Académie Goncourt à l'unanimité et en devient présidente en 1949. Elle est également promue officier de la Légion d'honneur en 1953. C'est lorsqu'elle se trouve à l'apogée de sa carrière et de sa consécration que la vieille dame s'installe dans son appartement du

Palais-Royal où elle meurt le 3 août 1954.

Colette est la seule femme à avoir eu droit à des funérailles nationales. Elle repose au cimetière du Père Lachaise, sa fille désormais à ses côtés.

PRÉSENTATION DE LA VAGABONDE

La Vagabonde, roman écrit par Colette au milieu de sa vie et de sa carrière littéraire est paru en France en 1910. Le récit, fortement teinté de l'expérience personnelle de l'auteure, résonne comme une œuvre autobiographique. Renée Nérée, héroïne de l'ouvrage, témoigne du quotidien éprouvant des artistes de café-concert. La jeune nomade se déplace de ville en ville, de représentation en représentation. Pantomime errante, comédienne-danseuse, tout comme la romancière au moment de l'écrit, Renée se doit de subvenir à ses besoins, à la suite d'une séparation douloureuse. Ainsi, le roman livre toutes les souffrances et les passions de cette artiste papillonnante.

Renée Nérée traverse la solitude de son deuil conjugal, avec Fossette, sa chienne. La jeune femme est rapidement troublée par Maxime Dufferein-Chautel, l'admirateur tenace qui scande de sa présence la docile retraite dans laquelle la jeune trentenaire se restreint. Il pose sur elle un regard amoureux, plus tendre que celui que la jeune femme appose sur elle-même. Et l'écriture, comme sa vue, se fait dans l'ouvrage, plus sûre et plus affinée encore que dans sa série des « Claudine », où déjà, son pouvoir évocateur et la poétique de son regard se dessinaient finement. On y retrouve les mêmes qualités d'analyse et d'observation lucide et lyrique du monde qu'elle côtoie : ici, ce music-hall qui nous dévoile ses coulisses.

Tout au long de ce vagabondage, les palettes à maquillages s'usent, le temps passe et les costumes résistent de moins en moins à leur traitement éreintant. Mais ce n'est pas les seules métamorphoses auxquelles on assiste. On suit l'itinéraire sentimental de la jeune femme. Elle confesse les tourments de son cœur marginalisé qui renonce à se soumettre. La mime, meurtrie mais courageuse, devient à travers la pudique introspection qui anime son écriture, une femme qui assume sa soif de liberté et aborde une nouvelle maturité.

RÉSUMÉ DU ROMAN

Première partie

Chapitre 1

Renée Nérée, protagoniste de *La Vagabonde*, se prépare dans sa loge en compagnie de Brague, l'ami qui a encouragé ses débuts dans la pantomime. Après trois années de music-hall et de théâtre, la trentenaire scrute, interrogative et méditative, son portrait fardé. Le spectacle se déroule comme à son habitude et l'artiste arrive, ponctuelle, sur scène, après la représentation de la petite Jadin qui suit celle d' « Antoniew et ses chiens » et précède celle du fantaisiste Bouty.

Chapitre 2

Fatiguée, l'artiste quitte sa loge petite et froide pour rejoindre son *home*, un rez-de-chaussée à la lumière tamisée. Dans la mélancolie de ce retour elle constate avec amertume l'ampleur de sa solitude et *a contrario* son plaisir d'écrire.

Chapitre 3

Jadin quitte brusquement la programmation le soir suivant. Le spectacle en est bouleversé, moins que Bouty, qui lui porte un amour silencieux et se questionne sur ce départ. Mais l'évènement qui clôture et perturbe tout autant la soirée est l'intrusion brutale d'un grand inconnu, sec et noir, dans la loge de Renée. Ce « grand serin » séduit par la jeune femme est rapidement éconduit par cette dernière. Sa brève irruption fait pourtant ressurgir dans l'esprit de la mime le souvenir de son premier mari, Adolphe Taillandy. Elle reste éprouvée par les huit années de mariage qui l'ont conduite à se séparer de cet homme infidèle.

Chapitre 4

Renée occupe une partie de son dimanche au bois de Boulogne, se promenant avec Fossette, sa petite chienne noire. Elle lui a été donnée par Stéphane le danseur, l'un des artistes de café-concert qu'elle côtoie et qu'elle rencontre au moment où elle rejoint sa loge, le soir même.

Chapitre 5

Le lendemain, son ami et partenaire de scène Brague vient lui rendre visite dans son logement de « Dame seule ». Il lui demande de réaliser une représentation imprévue, en ville, ce même jour, et lui annonce le retour de la chanteuse Jadin.

L'idée même de ce *cachet en ville*, dans le Paris mondain de son ancien époux, irrite encore Renée quand elle reçoit son ami, le peintre Hamond, à déjeuner.

Lors de sa présence sur scène, ledit soir, elle retrouve l'homme en noir qui avait pénétré sa loge parmi les spectateurs. Et ce dernier ne tarde pas à trouver le moyen de se faire présenter à l'artiste. Il est Maxime Dufferein-Chautel, le frère cadet d'Henri Dufferein-Chautel, le patron de l'établissement où s'est donnée la représentation.

Chapitre 6

Quant au lieu où la jeune Renée indépendante à l'habitude de réaliser ses mimes, il s'agit de l'*Empyrée-Clichy*. La ferme patronne de ce lieu, madame Barnet, punit l'un des garçons de salle pour avoir lancé des réflexions inconvenantes, un soir, à l'intention de la scène. Mais la reine du lieu n'est autre que la petite Jadin, dont le retour anime grandement la foule de spectateurs. Le cadet Dufferein-Chautel est lui aussi, comme le fidèle public, présent dans la salle.

Chapitre 7

Les jours passent et la vie routinière de Mlle Nérée n'est altérée que par la présence de cet admirateur transi, ce grand serin, qui cherche désespérément à s'introduire dans la vie de cette femme de scène. Il lui envoie des fleurs et des cadeaux pour sa chienne Fossette.

À l'occasion de la visite hebdomadaire de son ami Hamond, la jeune femme est surprise de voir arriver ce M. Dufferein-Chautel. Les deux hommes se connaissent bien, mais Renée, dans sa solitude rassurante, n'apprécie pas l'invasion masculine intéressée.

Deuxième partie

Chapitre 1

Doucement, et par le biais de Hamond, Maxime Dufferein-Chautel s'introduit dans le quotidien de Renée, rendant avec lui de plus de plus de visites à la jeune femme. Mais si cette dernière s'étonne, avec un certain plaisir, d'avoir un amoureux aussi affectueux à son égard, elle n'en laisse rien paraître et prend soin de l'ignorer.

Dans l'asile de l'*Empyrée-Clichy* ou aux *Folies-Bergères*, elle répète avec Brague une nouvelle pantomime.

Chapitre 2

Un nouveau déjeuner réunit le couple d'amis Renée et Hamond. Une fois seuls, ils évoquent les sentiments que porte le grand serin à la mime. Elle s'interdit d'envisager toute vie conjugale, encore meurtrie de sa précédente union.

Le souper rassemble un autre duo. Le soir, l'artiste farouche retrouve son collègue de scène Brague à l'*Olymp's Bar* afin de « dire bonsoir aux copains de la revue ». La pantomime et son impresario discutent d'une nouvelle tournée à travers le pays entier.

Chapitre 3

La jeune femme, enthousiasmée par cette aventure vagabonde, rejoint Brague pour la négociation du nouveau contrat, au terme du dernier qui la liait à l'*Emp'-Clich'-Revue*. Cette nouvelle expérience l'emmènerait sur les routes de France du 5 avril au 15 mai.

Une pensée pour M. Dufferein-Chautel vient ternir l'émoi de cette aventure. Mais Renée l'affirme, rien ne la retient.

À son retour chez elle, la jeune femme retrouve sa fidèle chienne noire, mais aussi Hamond et son *amoureux*. Elle en profite pour annoncer, fébrile, son départ et s'endort grisée par l'alcool devant ses invités. Seul son admirateur attend le réveil de cette dernière afin de s'entretenir avec elle.

Chapitre 4

La rencontre habituelle des deux hommes, Maxime et Hamond, avec la jeune mime s'organise, la semaine qui suit, dans le bois de Boulogne lors d'une promenade. Le cadet des Dufferein-Chautel saisit l'occasion d'un isolement pour embrasser Renée, maladroitement.

Chapitre 5

Au lendemain de ce baiser raté, l'homme épris visite de nouveau Renée, à peine réveillée. Leur relation prend une toute autre tournure. Et le baiser qui clôture cette énième visite grise de plaisir la jeune femme libre.

Chapitre 6

Lorsqu'elle évoque par la suite M. Dufferein-Chautel, c'est avec l'intime surnom Max. Les mots « Chéri », et « Amour » lui viennent alors.

Brague est ravi de voir son ami en couple. Quant à Margot, la sœur de son précédent mari, elle la met en garde.

Le départ prochain de Mlle Nérée anime les conversations des amoureux, mais la jeune femme s'obstine à réaliser cette tournée, en dépit de la séparation temporaire qu'elle implique.

Chapitre 7

Hamond et Renée se retrouvent comme bien souvent, face à face, à l'occasion de ces repas où ils évoquent les douleurs qu'ont marquées sur eux, l'échec de leur mariage respectif. Les deux nostalgiques philosophent sur la recette d'une union réussie et s'interrogent sur ce qui résulte de leur mauvaise expérience.

La jeune femme perpétue cette discussion avec son *grand serin*.

Chapitre 8

Une semaine avant son départ, la comédienne réalise encore peu qu'elle aura à quitter cette liaison récente. Elle prépare ses valises avec Brague et rassure ce dernier en lui annonçant ne pas partir en tournée avec son amant.

Troisième partie

Chapitre 1

Les lettres promises des amoureux fraîchement séparés rythment la tournée de l'artiste. Elle y livre ses sentiments et toute la difficulté qu'elle a à se retrouver sans lui. Dijon, Reims, Nancy, Belfort... chaque halte devient prétexte littéraire à l'analyse romantique de ce voyage. Et la romance épistolaire est emplie de ces descriptions météorologiques et ces introspections émotionnelles.

Chapitre 2

La correspondance du jeune couple s'intensifie mais le doute s'installe dans l'esprit de Mlle Nérée. Sa peur de vieillir et le souvenir de son époux la hante. La vagabonde tente d'exprimer ses doutes à son conjoint sans maladresses. Ce-dernier ne comprend cependant pas la subtilité de son raisonnement et la rassure sur la véracité de l'amour qu'il lui porte. Ces quelques mots, « tu seras toujours la plus belle », raniment paradoxalement les blessures de la pantomime.

Chapitre 3

La confiance de son amoureux devient un fardeau de plus en plus dur à porter. Il devient alors de plus en plus aisé pour la comédienne de suivre son partenaire scénique dans le périple artistique qui les lie.

Présageant l'amenuisement certain de leurs sentiments

respectifs, elle ressent l'envie de se défaire de Max.

Chapitre 4

Prenant seule, très tôt, un train depuis Calais qui la ramène chez elle, avant son retour prévu, Renée rédige une lettre d'adieu à Max.

Elle s'enfuit, libre mais incertaine.

LES RAISONS DU SUCCÈS

L'ouvrage de Colette, *La Vagabonde*, est paru en France en 1910, à la suite de la série de romans des « Claudine », une série à succès qui réunit un lectorat fidèle. Depuis *Claudine à l'école*, la romancière connaît une réussite invariable. Ses livres sont tous beaucoup lus, notamment à l'étranger. Dans les librairies internationales, ils sont placés de façon pertinente et mis en évidence. Le personnage de « Claudine » devient rapidement une figure adoptée dans la conscience collective. Plus qu'un personnage, Claudine est érigée au rang de femme-type. Dès 1903, l'expression « à la Claudine » s'emploie pour désigner le phénomène. Les romans posent leur empreinte jusque dans le domaine de la mode. L'appellation « col-claudine » qui découle de cette série d'ouvrages fait partie intégrante du vocabulaire français depuis des années.

Bien que légèrement différent, avec un style plus étudié et une psychologie davantage fouillée, le livre *La Vagabonde* bénéficie du même traitement. Il est très bien reçu, assuré par la notoriété de l'artiste. L'identité de l'auteure, usurpée un temps par son mari de l'époque, Henry Gauthier-Villars, dit Willy, et son style sont effectivement bel et bien reconnus lors de la publication de ce nouveau volume. C'est cela que révèle l'accueil chaleureux qui lui est réservé. De plus, celui-ci frôle l'obtention du prix Goncourt.

Le succès de Colette repose en partie sur le sujet de ses livres. Elle évoque, avec une sincérité touchante, une « vie ordinaire » dans laquelle un grand nombre de lecteurs se projette. Puis elle appose sur ces choses quotidiennes un regard d'une poétique assidue qui en révèle toute la magnificence.

Ses œuvres de début de siècle côtoient des grands noms de la littérature et des piliers de l'histoire du roman comme le célèbre *Du Côté de chez Swann*, ou *La Porte étroite*. Ces ouvrages, que *La Vagabonde* précède de quelques années, appartiennent au même mouvement romanesque en vogue à l'époque, le roman psychologique.

Le roman du début du XXe se confronte au modèle du siècle précédent et exprime sa volonté de conquérir le monde, sinon le réel. Le roman se donne comme le seul moyen possible de contenir une vérité, de la révéler. Et cela par l'émergence du *psychologique*, qui s'efforce de traduire l'expérience humaine individuelle, et par le roman viennois interpellé par l'expérience collective. Ce dernier mouvement a l'ambition d'offrir une vision kaléidoscopique d'une époque, en en révélant les différentes facettes, simultanément. C'est un projet en vigueur à Vienne, entrepris par Robert Musil ou encore Hermann Broch, dans la tradition balzacienne.

Ces deux mouvements parallèles, présents en Europe, amorcent ce que sera le Nouveau Roman. Ils portent en eux l'idée que formulera plus tard Aragon : « Le roman est une machine inventée par l'homme pour l'appréhension du réel dans sa complexité » et que Claude Roy exprimera aussi, avec des mots plus simples : « Un roman est l'histoire des jours où une vérité se fait jour. »

LES THÈMES PRINCIPAUX

Dans l'ouvrage *La Vagabonde*, la voix de la narratrice prend le relais de celle de l'auteure. Elles se superposent et livrent toutes deux les thèmes centraux du roman.

Le premier, que laisse présager le titre, est celui de la liberté. En effet, le caractère nomade du protagoniste du roman, Renée Nérée, est le moteur de la trame historique. Son statut d'artiste et son mode de vie singulier sont à l'origine de sa liberté errante. Elle est amenée, aux hasards des représentations, dans les théâtres de ville.

Par ce biais, elle nous dévoile les coulisses du monde secret du music-hall. Ainsi, grâce au point de vue du personnage, l'univers méconnu des artistes de café-concert se délie, sans faux-semblant, de l'intérieur.

Mais si la narratrice est si libre, ce n'est pas uniquement parce qu'elle travaille dans les théâtres en tant que mime. C'est également parce que sa solitude lui confère ce statut de femme libre. Cette vagabonde n'est pas réduite à une simple voyageuse, elle est une femme indépendante. Mlle Nérée est une dame solitaire libérée de la tutelle d'un mari infidèle.

La romancière dévoile toute l'ambivalence de cette position. D'un point de vue social d'abord, puisque Renée, séparée de son mari, est exclue du Paris mondain auquel elle appartenait et se loge dans un immeuble pour « Dame seule » ; psychologiquement ensuite, puisqu'une telle liberté implique une certaine solitude que le personnage assume parfois difficilement.

Une « vagabonde » est aussi une femme sans attache. Toujours meurtrie de sa séparation douloureuse d'avec son époux, Renée renonce à une nouvelle relation. Et ce repli sur elle-même, qui lui permet de se centrer sur le développement de ses facultés scéniques et littéraires, joue un rôle dans l'affirmation de sa liberté : si rien ne la retient, elle peut aller où elle veut.

Cependant la jeune femme ne traverse pas les années sans rencontrer quelques imprévus qui remuent ses convictions. Et c'est le hasard d'une rencontre qui l'amène à réviser sa position sur l'amour et sur le couple. Meurtrie et blessée par sa précédente union, elle refusait d'envisager une nouvelle romance, c'était sans compter sur l'obstination et la persévérance de Max, l'amoureux transi qui la découvre sur la scène de l'*Empyrée-Clichy*. C'est là qu'intervient le second thème du roman. C'est celui de la relation amoureuse, qui entrave la liberté si chère à Renée.

Le roman est rythmé de cette dialectique qu'illustre la célèbre citation de Colette : « Quand on est aimé, on ne doute de rien, quand on aime, on doute de tout. » La soif de liberté de la jeune artiste est scandée par les émotions, que remuent en elle son amour naissant pour Max. La mime est sans cesse tiraillée entre les peurs instaurées par la liaison naissante et sa solitude rassurante. Assaillie de doutes mais certaine du caractère éphémère de cet amour, la jeune femme choisit la liberté. L'incertitude de cette dernière lui apparaît plus douce et plus grisante que la perspective d'une nouvelle vie conjugale, qu'elle vit comme une redite de son ancien échec amoureux.

ÉTUDE DU MOUVEMENT LITTÉRAIRE

Les premières œuvres littéraires de Colette s'échelonnent sur tout le début du XXe siècle et s'inscrivent, d'une certaine mesure, dans la tradition du roman romanesque mais rompent aussi avec ce modèle du siècle précédent. La romancière appartient à cette première génération d'écrivains qui publient leurs plus importants ouvrages aux alentours de 1910. Contestant les carcans du roman romanesque, ces auteurs, comme Marcel Proust ou André Gide, annoncent déjà la modernité.

La présence d'une narration à la première personne, l'emploi du présent, du passé composé et les marques de subjectivité sont les premiers pas vers le Nouveau Roman que concrétisent ces derniers. En effet, la narration et l'auteur, absents du roman au XIXe, sont réintroduits. Ce choix amorce une première remise en question de l'histoire dans le roman en tant que fiction. Le personnage apparaît désormais comme vrai et n'est plus soumis à la chronologie. A l'aube du bouleversement romanesque de ce XXe siècle, on peut noter ces partis-pris de changement.

En outre, Colette appartient à ce groupe de romanciers qualifié a posteriori de psychologues. L'auteure est effectivement contemporaine de l'émergence de la psychanalyse. L'année de la parution de *La Vagabonde*, l'année 1910, est également celle que choisit Freud pour publier *Un souvenir d'enfance de Léonard de Vinci*, l'un des textes dont il est le plus fier. Dès la fin du XIXe déjà, nombreux sont les romanciers cherchant à élaborer une analyse psychologique de leurs personnages, comme Maupassant dans ces derniers ouvrages ou encore Paul Bourget.

L'auteure de *La Vagabonde* utilise ses capacités analytiques, déjà fort reconnues lors de ses descriptions poétiques et évocations de souvenirs d'enfance dans ses livres précédents, pour fouiller l'intériorité de son narrateur qui n'est autre qu'un double transparent d'elle-même. L'intrigue quant à elle est relayée au second plan.

Cette concentration de l'effort littéraire sur la psychologie du personnage reprend l'héritage du célèbre roman *La Princesse de Clèves*, lequel met en exergue toute l'ambivalence d'une femme écartelée entre ses sentiments et sa raison. C'est à ce modèle du genre que remonte la tradition du roman d'analyse ou psychologique. Et dans ce genre, le personnage principal, à l'instar de Renée Nérée et de la Princesse de Clèves, n'est pas un type préétabli, mais un être indépendant, libre de toute expérience.

La construction de l'ouvrage de Colette, *La Vagabonde*, ne s'arrête pas à la reprise de ces traditions auxquelles on ajouterait la présence d'une première personne. L'auteure mélange les trois types de roman psychologique que l'on distingue à la fin du XIXe, à savoir le roman autobiographique, le roman épistolaire et le roman d'apprentissage.

La romancière, en effet, dévoile de façon peu maquillée la réalité de son propre mariage par le biais de son personnage Renée Nérée. Elle utilise la première personne pour animer ses dires. On associe alors fortement *La Vagabonde* au genre autobiographique. Colette emploie l'usage du genre épistolaire pour traduire de façon vivante les ressentis de son personnage lors de son départ pour sa tournée nomade. Enfin, l'ouvrage, dont la trame scénaristique est peu travaillée, exprime l'évolution de cette pantomime qui découvre une certaine maturité. Un cheminement psychologique qui s'apparente à celui des jeunes gens du roman d'apprentissage.

L'œuvre littéraire de Colette est donc empreinte des mouvements littéraires qui lui sont contemporains. Elle repose surtout le socle psychologique hérité du XIXe siècle, et s'écarte du romanesque, profitant de l'amorce ambiante du Nouveau Roman, lequel se dessine déjà.

DANS LA MÊME COLLECTION
(par ordre alphabétique)

- **Anonyme**, *La Farce de Maître Pathelin*
- **Anouilh**, *Antigone*
- **Aragon**, *Aurélien*
- **Aragon**, *Le Paysan de Paris*
- **Austen**, *Raison et Sentiments*
- **Balzac**, *Illusions perdues*
- **Balzac**, *La Femme de trente ans*
- **Balzac**, *Le Colonel Chabert*
- **Balzac**, *Le Lys dans la vallée*
- **Balzac**, *Le Père Goriot*
- **Barbey d'Aurevilly**, *L'Ensorcelée*
- **Barbey d'Aurevilly**, *Les Diaboliques*
- **Bataille**, *Ma mère*
- **Baudelaire**, *Les Fleurs du Mal*
- **Baudelaire**, *Petits poèmes en prose*
- **Beaumarchais**, *Le Barbier de Séville*
- **Beaumarchais**, *Le Mariage de Figaro*
- **Beauvoir**, *Mémoires d'une jeune fille rangée*
- **Beckett**, *Fin de partie*
- **Brecht**, *La Noce*
- **Brecht**, *La Résistible ascension d'Arturo Ui*
- **Brecht**, *Mère Courage et ses enfants*
- **Breton**, *Nadja*
- **Brontë**, *Jane Eyre*
- **Camus**, *L'Étranger*
- **Carroll**, *Alice au pays des merveilles*
- **Céline**, *Mort à crédit*
- **Céline**, *Voyage au bout de la nuit*

- **Chateaubriand**, *Atala*
- **Chateaubriand**, *René*
- **Chrétien de Troyes**, *Perceval*
- **Cocteau**, *Les Enfants terribles*
- **Colette**, *Le Blé en herbe*
- **Corneille**, *Le Cid*
- **Crébillon fils**, *Les Égarements du cœur et de l'esprit*
- **Defoe**, *Robinson Crusoé*
- **Dickens**, *Oliver Twist*
- **Du Bellay**, *Les Regrets*
- **Dumas**, *Henri III et sa cour*
- **Duras**, *L'Amant*
- **Duras**, *La Pluie d'été*
- **Duras**, *Un barrage contre le Pacifique*
- **Flaubert**, *Bouvard et Pécuchet*
- **Flaubert**, *L'Éducation sentimentale*
- **Flaubert**, *Madame Bovary*
- **Flaubert**, *Salammbô*
- **Gary**, *La Vie devant soi*
- **Giraudoux**, *Électre*
- **Giraudoux**, *La Guerre de Troie n'aura pas lieu*
- **Gogol**, *Le Mariage*
- **Homère**, *L'Odyssée*
- **Hugo**, *Hernani*
- **Hugo**, *Les Misérables*
- **Hugo**, *Notre-Dame de Paris*
- **Huxley**, *Le Meilleur des mondes*
- **Jaccottet**, *À la lumière d'hiver*
- **James**, *Une vie à Londres*
- **Jarry**, *Ubu roi*
- **Kafka**, *La Métamorphose*
- **Kerouac**, *Sur la route*
- **Kessel**, *Le Lion*

- **La Fayette**, *La Princesse de Clèves*
- **Le Clézio**, *Mondo et autres histoires*
- **Levi**, *Si c'est un homme*
- **London**, *Croc-Blanc*
- **London**, *L'Appel de la forêt*
- **Maupassant**, *Boule de suif*
- **Maupassant**, *Le Horla*
- **Maupassant**, *Une vie*
- **Molière**, *Amphitryon*
- **Molière**, *Dom Juan*
- **Molière**, *L'Avare*
- **Molière**, *Le Malade imaginaire*
- **Molière**, *Le Tartuffe*
- **Molière**, *Les Fourberies de Scapin*
- **Musset**, *Les Caprices de Marianne*
- **Musset**, *Lorenzaccio*
- **Musset**, *On ne badine pas avec l'amour*
- **Perec**, *La Disparition*
- **Perec**, *Les Choses*
- **Perrault**, *Contes*
- **Prévert**, *Paroles*
- **Prévost**, *Manon Lescaut*
- **Proust**, *À l'ombre des jeunes filles en fleurs*
- **Proust**, *Albertine disparue*
- **Proust**, *Du côté de chez Swann*
- **Proust**, *Le Côté de Guermantes*
- **Proust**, *Le Temps retrouvé*
- **Proust**, *Sodome et Gomorrhe*
- **Proust**, *Un amour de Swann*
- **Queneau**, *Exercices de style*
- **Quignard**, *Tous les matins du monde*
- **Rabelais**, *Gargantua*
- **Rabelais**, *Pantagruel*

- **Racine**, *Andromaque*
- **Racine**, *Bérénice*
- **Racine**, *Britannicus*
- **Racine**, *Phèdre*
- **Renard**, *Poil de carotte*
- **Rimbaud**, *Une saison en enfer*
- **Sagan**, *Bonjour tristesse*
- **Saint-Exupéry**, *Le Petit Prince*
- **Sarraute**, *Enfance*
- **Sarraute**, *Tropismes*
- **Sartre**, *Huis clos*
- **Sartre**, *La Nausée*
- **Senghor**, *La Belle histoire de Leuk-le-lièvre*
- **Shakespeare**, *Roméo et Juliette*
- **Steinbeck**, *Les Raisins de la colère*
- **Stendhal**, *La Chartreuse de Parme*
- **Stendhal**, *Le Rouge et le Noir*
- **Verlaine**, *Romances sans paroles*
- **Verne**, *Une ville flottante*
- **Verne**, *Voyage au centre de la Terre*
- **Vian**, *L'Arrache-cœur*
- **Vian**, *L'Écume des jours*
- **Voltaire**, *Candide*
- **Voltaire**, *Micromégas*
- **Zola**, *Au Bonheur des Dames*
- **Zola**, *Germinal*
- **Zola**, *L'Argent*
- **Zola**, *L'Assommoir*
- **Zola**, *La Bête humaine*
- **Zola**, *Nana*
- **Zola**, *Pot-Bouille*